MÄNNER KOCHBUCH

schön scharf angerichtet

UNSER

MÄNNERKOCH

hallo männer,

Lust auf lecker Mädchen und lecker Essen? Dann seid ihr hier richtig!

Die Idee dieses Kochbuches ist es, nicht nur leckere Rezepte für Männer zu präsentieren, sondern den Appetit aller ein wenig anzuregen. Nette Fotos zum Anschauen und interessante Rezepte zum Nachkochen – also Nahrung für Augen und Magen.

Es gibt Einsteiger-Rezepte, die jeder Mann kann, oder für Fortgeschrittene. Mit manchen Rezepten wird Mann die Mädels beim „Date" schwer beeindrucken oder Mann beglückt die Liebste mit „Wife". Für die Väter unter uns gibt es die Rezepte für „Kids". Beim Herrenabend oder bei der Männerrunde kocht Mann für den „Boss". Ich hoffe, die Fotos machen euch Appetit!

Ich hatte echt Probleme beim Kochen und beim gleichzeitigen Präsentieren der Gerichte auf oder bei den Mädels! Daher hab ich das Fotografieren Sabrina Voss überlassen, besser bekannt als Sabrinity. Und im Nu gab es eine ganze Reihe hübscher Mädels aus der Region …

Euch viel Spaß beim Nachkochen und Blättern,

Euer
Pio

Andreas Piorek

Koch, Restaurant Jägerhof, Brilon
Radiokoch bei Radio Sauerland
Koch in der Kochschule Sauerland
Männer-Versteher
Steht auf schöne Fotos

Sabrinity

Sabrina Voss, Fotografin
Schwerpunkt People und Food
Steht auf leckeres Essen

INHALT

SÜSS   MILD   HOT   EXTRA HOT
DATE   WIFE   KIDS   BOSS
EINSTEIGER   FORTGESCHRITTEN
EIWEISSARM   EIWEISSREICH

KAR

SÜSS **MILD** HOT EXTRA HOT
DATE **WIFE** KIDS BOSS
EINSTEIGER FORTGESCHRITTEN
EIWEISSARM EIWEISSREICH

...TOFFELSUPPE

rustikal und heiß

500 g Kartoffeln
50 g Schmalz
100 g Zwiebeln
1 Karotte
50 g Sellerie
50 g Porree
100 ml Sahne
600 ml Brühe
Majoran, Muskat, Salz
2 Lorbeerblätter

258 KCAL/
PORTION
4 PERS.

Die einfachste Suppe, aber auch eine der leckersten. Kartoffeln von der Frau schälen lassen, dann die Hälfte in möglichst kleine Würfel schneiden lassen und ins Wasser legen. Den Rest der Kartoffeln, Karotte, Sellerie, Porree und Zwiebeln in grobe Würfel schneiden und im Topf mit Schmalz ca. 2 Minuten anschwitzen lassen (aufpassen, dass nichts braun wird, Suppe soll schön weiß aussehen!), mit Brühe auffüllen und ca. 20 Minuten weichkochen. Mit einer Prise Majoran, Muskat und Salz würzen, dann zwei Lorbeerblätter zugeben. Wenn die Kartoffeln und das Gemüse weich sind, mit dem Mixstab pürieren. Die kleingeschnittenen Kartoffelwürfel dazu geben und ca. 8 Minuten kochen, dann Sahne dazu geben und mit den Gewürzen nochmals abschmecken. Schnittlauch und Petersilie dazu, servieren und alles okay!

GULA

SÜSS   MILD   **HOT**   EXTRA HOT
DATE   **WIFE**   KIDS   BOSS
EINSTEIGER   FORTGESCHRITTEN
EIWEISSARM   EIWEISSREICH

600 g Rinderbraten am Stück
400 g Zwiebelwürfel
300 g Paprikawürfel (am besten gemischt)
200 g Kartoffelwürfel
200 g Champignons in Scheiben (frisch oder Dose)
2 dicke Esslöffel Tomatenmark
100 g Pflanzenöl
15 Kümmelkörner
1 Chilischote oder 1 Teelöffel grüne Pfefferkörner
1 Knoblauchzehe
½ Teelöffel Basilikum
1 Teelöffel Paprikapulver, edelsüß
2 Esslöffel Mehl
2 l Gemüsebrühe
3 Lorbeerblätter
Salz, Pfeffer

...SCHSUPPE

deftig – kräftig – leichtscharf

310 KCAL/
PORTION
10 PERS.

Rinderbraten in fingernagelgroße Stücke schneiden (nicht an der Frau orientieren, die gerade im Nagel-studio war!). Großen Topf oder Gänsebratentopf auf den Herd setzen und gut heiß machen und das mit Salz und Pfeffer gewürzte Fleisch anbraten. Zwiebelwürfel dazugeben, mit anbraten und leicht braun werden lassen, dann Paprika, Kartoffeln und Champignons dazugeben und kurz anschwitzen. Zum Schluss noch das Tomatenmark dazu geben. Kümmel, Knoblauch, Basilikum, Chili oder grünen Pfeffer, Paprikapulver zum Würzen dazu geben, mit 2 Esslöffeln Mehl bestäuben und alles mit einem dicken Holzlöffel oder einer Schaumkelle umrühren. Gemüsebrühe aufgießen und unter ständigem Rühren aufkochen lassen.
Bei kleiner Stufe (ca. Stufe 2 von 10) 40 Minuten garziehen lassen. Zum Schluss noch einmal mit Salz und Pfeffer nachschmecken, wenn nötig, lecker Baguette oder Brötchen dabei, alles klar!

Tipp: mit 2 bis 3 Chilischoten ein echter Burner!

TO M
OR.

SÜSS MILD HOT EXTRA HOT

DATE **WIFE** **KIDS** **BOSS**

EINSTEIGER FORTGESCHRITTEN

EIWEISSARM EIWEISSREICH

1 kleine Dose geschälte Tomate, ca. 480 g
50 g Sellerie
50 g Karotten
40 g Olivenöl
¼ Orange
500 ml Brühe
Salz, Zucker, Pfeffer
Basilikum

...ATEN-
...ANGENSUPPE

290 KCAL/
PORTION
8 PERS.

Alle Zutaten in einen entsprechenden Topf geben. Mit Salz, etwas Zucker und ein wenig Pfeffer würzen. Die Suppe 20 Minuten kochen lassen. Mit dem Schnellmixstab pürieren und alles noch einmal aufkochen lassen. Nachschmecken und das frisch fein gehackte Basilikum dazu geben (2 bis 3 Stengel). Mit einem Klecks Schlagsahne schmeckt die Suppe gleich doppelt lecker, aber ACHTUNG: Kalorien werden verdoppelt! Beim Man(n) egal, aber die Frau und ihr Hüftgold …

Tipp: Bei der Zubereitung von Gerichten mit Tomate Zucker nicht vergessen (Suppe, Sauce, Ragout, etc.), Tomate liebt Zucker !

11

KALTE
GU

400 g Salatgurke ●
300 g Brühe (fertig, aus Pulver) ●
200 g Joghurt ●
1 Scheibe Toast ●
1 geräucherte Forelle ●
4 Teelöffel deutschen Kaviar ●
1 Chilischote
Dill, Zitrone, Salz, Pfeffer
Chili, Zucker, Pernod

RKENSUPPE
mit forelle und kaviar

180 KCAL/ PORTION
4 PERS.

Alle Zutaten (außer Kaviar und Forelle) in einen großen Mixbecher geben oder mit einem Schnellmixstab mindestens 2 bis 3 Minuten fein pürieren. Mit Dill, Zitrone, Pfeffer, einer Prise Salz, einer Viertel Chilischote und einem Spritzer Pernod abschmecken.
Diese Suppe soll echt schön kalt gegessen werden. Für die Deko und den Nährwert das Forellenfilet in mehrere Stücke schneiden, Joghurt-Tupfer und Kaviar auf die Suppe geben und sich feiern lassen!

Tipp: Sollte die Suppe morgens gemacht und abends gegessen werden,
kann sie im Kühlschrank gut abkühlen.

KOK

500 ml Kokosmilch
500 ml Brühe
1 Banane
½ Apfel
2 scharfe Chilischoten
2 Stangen Zitronengras
1 Ingwer (daumennagelgroß)
100 ml Sahne
4 Garnelenspieße
Salz, Zucker

OS-CHILISUPPE

mit garnele

420 KCAL/
PORTION
4 PERS.

Den Ingwer und das Zitronengras muss man einmal mit der kräftigen Männerhand auf der Tischplatte anquetschen. Jetzt alle Zutaten in den Kochtopf geben und bei mittlerer Hitze ca. 10 Minuten kochen lassen. Bevor man mit dem Pürierstab alles mixt, Ingwer und Zitronengras aus der Suppe nehmen. Mit Salz und Zucker noch einmal abschmecken und bei Bedarf noch mehr Chili hinzugeben.

Die Garnelen werden kurz vor dem Servieren in der Pfanne mit Chili und Salz ca. 2 bis 3 Minuten gebraten.

Tipp: Kann Man(n) auch gut nur zu zweit essen, macht echt scharf!

LIN

2 Tassen getrocknete Tellerlinsen
600 ml Gemüsebrühe
½ Flasche Rotwein
100 g Sellerie
100 g Karotten
100 g Porree
300 g Kartoffeln (von der Frau geschält und gewürfelt)
400 g Kasseler
4 Mettenden
6 Lorbeerblätter
1 Teelöffel Senf
1 Teelöffel Zucker
Salz, Zucker, Senf

410 KCAL/ PORTION
8 PERS.

SENEINTOPF
mit rotwein – wie im elsass

Alle Zutaten in einen Topf geben und ca. 10 Minuten kochen. Kasseler und Mettenden wieder heraus nehmen und kurz vor dem Servieren nochmals für ca. 60 Minuten in den kochenden Eintopf geben. Etwas mit Salz, Zucker und Senf nachschmecken, fertig.

ACHTUNG! Man(n) bekommt davon schnell Blähungen!

Tipp: Kann man auch gut mit Linsen aus der Dose machen. Die Garzeit wird dadurch halbiert.

17

KARO

400 g Karotten
1 kleine geschälte Kartoffel
18 g Ingwer
30 g Butter
1 Orange (kompletter Saft, ¼ Schale)
600 ml Instant-Hühnerbrühe
300 g Poulardenbrust
Salz, Muskat, Zucker, Honig

TTENSUPPE

mit huhn und ingwer

390 KCAL/ PORTION 4 PERS.

Geschälte und grob gewürfelte Karotten mit der Kartoffel, dem Ingwer und der Orangenschale in Butter anschwitzen. Mit Hühnerbrühe auffüllen, 20 Minuten weichkochen und mit Salz, Muskat, einem Teelöffel Zucker und 1 Teelöffel Honig würzen.
Alles fein pürieren, nochmals aufkochen, eventuell nachschmecken. Die gebratene Poulardenbrust in Scheiben oder feine Würfel schneiden und als Einlage in die Suppe geben. Schlagsahne passt natürlich auch sehr gut dazu, aber: 100 g Schlagsahne bedeuten 300 Kcal!

Tipp: Will man es besonders gut machen, Huhn mit Suppengemüse ca. 2 Stunden gar kochen und hiervon die Suppe herstellen.

19

PFEI

SÜSS   MILD   **HOT**   EXTRA HOT

DATE   WIFE   KIDS   **BOSS**

EINSTEIGER   FORTGESCHRITTEN

EIWEISSARM   **EIWEISSREICH**

250 g Schweinenacken ohne Knochen
50 g durchwachsener Speck
1 mittlere Zwiebel
8 frische Champignonköpfe
1 Esslöffel Mehl
500 ml Gemüsebrühe
150 ml Schlagsahne
grüne und rote Pfefferkörner
Salz, Pfeffer
2 Lorbeerblätter

FERSUPPE

scharf bis extra scharf mit fleisch

410 KCAL/ PORTION

4 PERS.

Durchwachsenen Speck in feine Würfel schneiden oder am besten sofort gewürfelt kaufen. In einem Topf bei mittlerer Hitze ca. 3 bis 4 Minuten auslassen. Den in ca. 1 x 1 cm gewürfelten Schweinenacken zu dem Speck in den Topf geben und ca. 3 Minuten anbraten. Champignons, Zwiebeln und je 1 Teelöffel grünen und roten Pfeffer dazu und noch einmal für 1 bis 2 Minuten anschwitzen. Ein Esslöffel Mehl dazu und weitere 1 bis 2 Minuten erhitzen.
Die Gemüsebrühe auffüllen, beide Lorbeerblätter und eine Prise Salz dazu und ca. 20 Minuten bei mittlerer Hitze durchkochen. Vor dem Servieren etwas Schlagsahne dazu geben und mit roten Pfefferkörner dekorieren.

Tipp: Suppe geht auch mit Huhn, Rind, Wild

21

SOM

SÜSS **MILD** HOT EXTRA HOT
DATE **WIFE** KIDS BOSS
EINSTEIGER FORTGESCHRITTEN
EIWEISSARM EIWEISSREICH

1 Tüte fertig gewaschenen und
geschnittenen Salat (ca. 400 g)
1 Chicorée
¼ frische Ananas
¼ frische Melone
¼ Schale Erdbeeren
¼ Mango
1 Apfel
100 ml Fruchtessig (z.B. Apfelessig)
200 g tiefgekühlte Himbeeren
200 g Pflanzenöl
100 g Apfelsaft
2 Teelöffel Himbeerkonfitüre

MERSALAT

mit frischen früchten – be veggie!

280 KCAL/
PORTION
4 PERS.

Für den Sommersalat die Wurzel keilförmig aus dem Chicorée schneiden, sodass er auseinander blättert. Die Chicoréeblätter in vier tiefe Teller legen, wie ein Fächer und die Salatmischung darüber verteilen. Obst schälen, schneiden und ebenfalls schön verteilen. Aus Essig, den Tiefkühl-Himbeeren, Pflanzenöl, Apfelsaft und Konfitüre ein Dressing mit dem Schnellmixstab zubereiten und mit Salz, Pfeffer und Zucker feintunen. Nur das Beste für die essensbewusste Frau!

Tipp: Von dem Rest der Früchte macht man einen herrlichen Obstsalat, geht eigentlich mit jedem Obst, je nach Verfügbarkeit und Jahreszeit.

RIES

SÜSS   MILD   **HOT**   EXTRA HOT

DATE   WIFE   KIDS   BOSS

EINSTEIGER   FORTGESCHRITTEN

EIWEISSARM   **EIWEISSREICH**

800 g Garnele ohne Kopf (8 bis 12 lbs
(engl. Bezeichnung für Fischgewicht))
50 g Butter
30 g Pflanzenöl
1 Limette
1 Chili
Salz, Pfeffer

ENGARNELEN

in limetten-chili-butter

290 KCAL/
PORTION

4 PERS.

Aufgetaute oder frische Garnelen wenn nötig schälen und den Darm entfernen, indem man die Garnele auf der Rückenseite leicht einschneidet und den dunklen Darm rauszieht.
Eine Pfanne erhitzen, Öl hineingeben, die mit Salz und Pfeffer gewürzten Garnelen 1 bis 2 Minuten von jeder Seite anbraten, bis sie rot geworden sind.
Eine Chilischote halbieren und ebenfalls hinzugeben. Die Limette ausdrücken, den Saft dazu geben und die geviertelte ausgedrückte Limette hinzu. Zum Schluss ein Stück Butter dran und alles noch mal durchschwenken. Mit Baguette oder einem Salat servieren, dann schmecken die Tierchen sehr lecker!

Tipp: Den Garpunkt der Garnelen erkennt man an der Krümmung. Sehen sie beim Braten wie ein „U" aus, sind sie okay! Berühren sich die Enden, sehen sie also aus wie ein „O", sind sie zu lange in der Pfanne gewesen.

SALT

SÜSS **MILD** HOT EXTRA HOT
DATE **WIFE** KIDS **BOSS**
EINSTEIGER **FORTGESCHRITTEN**
EIWEISSARM EIWEISSREICH

8 Kalbsschnitzel à 90 g
8 Scheiben Parmaschinken
8 Blätter frischen Salbei
100 ml Bratensauce (Fertigprodukt)
100 ml Rotwein (Chianti)
100 ml Marsala (Ital. Dessertwein,
es geht auch Sherry oder Portwein)
Pflanzenöl, Salz, Pfeffer

MBOCCA

schmeckt lecker, aber aus Italien

345 KCAL/
PORTION
4 PERS.

Fertig geschnittene und leicht geklopfte Schnitzel vom Kalbsrücken oder Oberschale mit Parmaschinken belegen, darauf ein Salbeiblatt und alles mit einem Zahnstocher fixieren.
Pfanne erhitzen, etwas Öl hinein und die Schnitzel mit der Salbeiseite zuerst in die Pfanne legen, von jeder Seite ca. eine halbe Minute braten und auf einem Teller warm stellen.
In die leere Pfanne Wein, Marsala und Bratensauce geben und alles aufkochen lassen. Butter dazu geben und mit etwas Salz und Pfeffer nachschmecken. Ein echt italienisches Essen ist fertig!
Kommt bei Mädels sehr gut an!

Tipp: Als Beilage fertige Gnocchi, brauchen nur 2 bis 3 Minuten kochen, schon fertig!

27

1,5 kg gekochte Pellkartoffeln
(festkochenende Kartoffel, z.B.Cilena)
200 g feine Zwiebelwürfel
200 g feine Würfel von Gewürzgurke
3 Eier, ca. 10 Minuten gekocht
1 Esslöffel fein gehackter Dill
1 Esslöffel fein gehackter Schnittlauch
100 ml heiße Brühe
(100 ml Wasser +
1 Teelöffel gekörnte Brühe oder 1 Brühwürfel)
100 ml Gewürzgurken-Fond
2 - 3 Esslöffel Majonäse
2 Teelöffel Senf mittelscharf
Salz, Pfeffer, Zucker
750 g gewürfelte Fleischwurst

K.SALAT

kartoffelsalat der superlative

**205 KCAL/
100 G
8 PERS.**

Die gepellten Kartoffeln in Scheiben schneiden und mit den gewürfelten Zwiebeln, Gurken, Eiern und Kräutern mischen.

Anschließend mit der heißen Brühe und dem Gewürzfond übergießen und eine Stunde ziehen lassen. Die Kartoffeln saugen jetzt die Flüssigkeit auf und Man(n) braucht nicht mehr so viel Majonäse. Nach einer Stunde mit der Majonäse den Senf unterziehen.
Mit Salz, Pfeffer und einer ordentlichen Prise Zucker würzen.

Falls man den Salat als Hauptspeise isst, lieber mehr als weniger Fleischwurst zugeben.

STAUD

1 Bund Staudensellerie
1 Packung Kräuterfrischkäse, ca. 200g
Pfeffer aus der Mühle

ENSELLERIE
mit kräuterfrischkäse

40 - 45 KCAL/
STANGE
4 PERS.

Staudensellerie an der Wurzel so weit abschneiden, dass die Stengel einzeln zu entnehmen sind.
Den Sellerie unter fließendem Wasser gut waschen.
Frischkäse in die Aushöhlung der Selleriestengel geben, leicht pfeffern und losknabbern. Ist lecker beim
Fernsehen oder vor dem Schlafengehen.

Tipp: Schmeckt natürlich auch mit Paprika-, Chili-, Meerrettich-Frischkäse o.ä.

31

500 g Champignons
200 g Bier
200 g Mehl
Prise Salz

MPIGNONS

im bierteig mit knoblauchsauce

310 KCAL/
PORTION
4 PERS.

Aus Mehl und Bier einen dicken Teig anrühren und eine Prise Salz hinzu geben. Champignons kurz in Wasser abspülen oder mit einem Küchenpapier abtupfen. Pflanzenöl in einen Topf mit mindestens einem halben Liter Wasser geben. So weit erhitzen, bis der Stiel eines Holzlöffels in heißem Fett Blasen wirft. Die Champignons in den Teig werfen, mit einer Gabel einzeln herausnehmen und in Fett ca. 2 bis 5 Minuten ausbacken.
Die fertigen Champignons auf Küchenpapier abtropfen lassen und mit Knoblauch-Dip servieren (Rezept Knoblauch-Dip auf Seite 33).

Tipp: In dem Teig lässt sich auch anderes gekochtes Gemüse backen. Auch Fischfilet wäre eine gute Idee!
Achtung! Dieses Gericht muss man mit dem Partner essen, sonst gibt es ein Problem!

SÜSS **MILD** **HOT** **EXTRA HOT**
DATE WIFE KIDS **BOSS**
EINSTEIGER FORTGESCHRITTEN
EIWEISSARM EIWEISSREICH

200 g grober Senf
100 g Honig
100 ml Sahne
2 bis 3 Stengel Dill
Salz, Zucker

DIPS

5 Dips
für den Grillabend

158 KCAL/
50 G
8 PERS.

Senfsauce

Alle Zutaten mit einem Schnellmixstab mischen. Eventuell mit Senf und Honig nachdosieren und mit Salz und Zucker abschmecken.

Schmeckt lecker zu Räucherlachs, Grillfleisch, gekochtem Fisch und Räucherfleisch.

35

200 g Crème fraîche ●
200 g geschlagene Sahne ●
1 grüner Apfel (Granny-Smith) ●
1 Esslöffel Wasabi-Paste ●
(am besten frisch angerührt, 2 Teelöffel Pulver)
1 Teelöffel Honig ●
1 Spritzer Zitrone
Salz, Pfeffer, Zucker, Zimt

1 Glas Himbeergelee 450g ●
1 bis 2 Chilischoten ●
50 ml Rotwein (kräftig, z.B. Dornfelder) ●
½ Teelöffel Paprikapulver, edelsüß ●
1/8 Orangenschale (ohne die weiße Haut) ●
1 Spritzer Worcestersauce ●

138 KCAL/
50 G
10 PERS.

112 KCAL/
50 G
10 PERS.

Wasabi-Apfel-Dip

Chili-Himbeer-Dip

Alle Zutaten ohne die geschlagene Sahne verrühren, den Apfel zerreiben oder in sehr feine Streifen hobeln und zugeben. Mit Salz, Pfeffer, Zucker und einer Mini-Prise Zimt abschmecken. Zum Schluss die geschlagene Sahne unterziehen.

Tipp: Passt super zu gegrilltem Fisch, Rindfleisch, Schweinesteaks oder Räucherfisch.

Alle Zutaten in einen Messbecher (mind. 1 Liter) oder hohes Gefäß geben. Schnellmixstab hineinstellen und ca. 2 Minuten pürieren.

Tipp: Passt super zu Wild, Rindfleisch oder kaltem/ warmem Geflügel, lecker auch als Steaksauce.

400 g Sauerrahm
100 ml Schlagsahne
1 kleine Zwiebel, gewürfelt
2 bis 4 Knoblauchzehen, gehackt
50 g gehackte Kräuter
(tiefgekühlter Kräutermix 8 Kräuter)
Salz, Pfeffer, Zucker

105 KCAL/
50 G
10 PERS.

Knoblauch-Kräuter-Dip

Alle Zutaten mit dem Schneebesen gut verrühren. Abschmecken
mit Salz, Pfeffer und einer Prise Zucker (evtl. Prise Worcester oder
gekörnte Brühe zugeben).

Tipp: Passt super zu gegrilltem oder gebackenem Gemüse oder
Folienkartoffeln. Geht auch mit frischem Baguette oder Grillsteaks.

300 g Majonäse
1 bis 2 Teelöffel Currypulver (gelbe Currypaste)
1 bis 2 reife Bananen
(geht auch super mit Mango, Annanas usw.)
140 ml Sahne
Prise Salz, Zucker, Pfeffer
Spritzer Worcester

275 KCAL/
50 G
10 PERS.

Curry-Banane-Dip

Alle Zutaten in den Schnellmixbecher oder in ein hohes Rührgefäß
geben, ca. 2 Minuten mixen. Mit Salz, Pfeffer und Zucker Feintuning
machen.

Tipp: Schmeckt echt genial zu kaltem Kassler oder
Geflügelaufschnitt, aber auch Schwein vom Grill.

Bananen-C

KET

SÜSS MILD HOT EXTRA HOT
DATE WIFE **KIDS BOSS**
EINSTEIGER FORTGESCHRITTEN
EIWEISSARM EIWEISSREICH

500 g Tomatenmark
1 Banane
1 Teelöffel Currypaste (scharf oder mild)
1 Chilischote
1 Spritzer Essigessenz
ca. 100 ml Orangensaft
1 Esslöffel Zucker
1 Tomate
Salz, Pfeffer

urry-

TCHUP

46 KCAL/
50 G
12 PERS.

Alle Zutaten in einen Mixbecher oder ein Litermaß geben, Schnellmixstab hinein-
drücken und gute 2 Minuten sehr fein pürieren. Wenn es jetzt noch etwas zu dick
ist, etwas Orangensaft dazu geben oder, wenn es zu flüssig ist, etwas Öl dazu
geben.

Tipp: Schmeckt nicht nur zur Currywurst,
auch sehr lecker zu Grillsteaks und Geflügel

39

ROTV

SÜSS	**MILD**	HOT	EXTRA HOT
DATE	**WIFE**	KIDS	**BOSS**
EINSTEIGER		FORTGESCHRITTEN	
EIWEISSARM		EIWEISSREICH	

2 bis 3 Esslöffel Zucker
250 ml Rotwein
250 ml Gemüsebrühe
1 Rosmarinzweig (oder getrocknet ¼ Teelöffel)
50 g Butter
1 Teelöffel Speisestärke
(Mondamin, Gustin etc.)
Salz, Pfeffer

WEIN-SAUCE

die schnellste sauce der welt

120 KCAL/
100 G
4 PERS.

Pfanne auf den Ofen stellen und auf volle Möhre erhitzen. 2 bis 3 Esslöffel Zucker und den Rosmarin in die Pfanne geben. Den Zucker sehr sehr braun werden lassen, Rotwein oder Brühe muss parat stehen. Diese dann auf den braunen Zucker schütten. Achtung, zieht echt kräftig! Etwas einkochen lassen, Speisestärke mit 1 Esslöffel Wasser anrühren und unter die Rotweinsauce schütten und abbinden. Butter in die Sauce, mit Salz und Pfeffer nachschmecken und schon fertig.

Tipp: Zum Verfeinern gehen auch Kräuter, Knoblauch oder Sherry, Portwein etc.

WOK

1 Packung Asia-Gemüsemischung (Tiefkühlkost)
1 Chilischote, klein gehackt
1 Knoblauchzehe
5 bis 6 dünne Scheiben Ingwer
1 Esslöffel Sesam, geschält
100 ml Sojasauce
1 Teelöffel Stärke mit 1 Esslöffel Wasser verrührt
30 ml Öl
Salz, Pfeffer, Zucker

GEMÜSE
mit sesam

350 KCAL/ PORTION 4 PERS.

Die Pfanne erst einmal sehr heiß werden lassen. Anschließend Sesam hinein geben und braun rösten lassen. Danach Öl hinzu geben und das Gemüse gute 10 Minuten anschwenken, dabei mit Chilischote, Knoblauch, Ingwer, Salz, Pfeffer und einer Prise Zucker würzen. Sojasauce und dieselbe Menge Wasser dazu geben, danach mit Speisestärke abbinden. Dazu passen gut Reis oder Asia Quellnudeln.

Tipp: Wer einen auf dicke Hose machen will, nimmt statt Tiefkühlware frisches Gemüse dazu, z.B. 500 g Paprikamix, 1 Stange Porree, Möhre und 3 Champignons.

POUL

SÜSS MILD **HOT** **EXTRA HOT**
DATE **WIFE** **KIDS** **BOSS**
EINSTEIGER **FORTGESCHRITTEN**
EIWEISSARM **EIWEISSREICH**

4 Stück Poulardenbrust (ca. 800 g)
12 getrocknete Aprikosen
1 kleine scharfe Chilischote (rot)
200 g Reis
200 ml Kokosmilch
200 ml Wasser, leicht gesalzen
200 g Zuckerschoten (Erbsenschote)
Öl, Butter, Salz, Pfeffer, Paprikapulver

ARDENBRUST

430 KCAL/ PORTION 4 PERS.

mit aprikosen-chilifüllung auf kokosreis mit zuckerschoten

Man(n) kauft sich vier frische Poulardenbrüste, ca. 200 g das Stück. Die Brust waschen und trocken tupfen, dann an der Unterseite eine Tasche einschneiden. Getrocknete Aprikose in einem Glas Wein einweichen, ca. 3 Aprikosen je Brust in die Tasche legen, eine Viertel Chilischote dazu und zusammenklappen. Mit Salz, Pfeffer und Paprikapulver einreiben. Auf dem Backblech auf Backpapier bei ca. 180° Grad Umluft ca. 25 Minuten anschwitzen, dann mit der Kokosmilch und dem gesalzenen Wasser auffüllen. Wenn der Reis kocht, Deckel auf den Topf und 20 Minuten ziehen lassen, auf ganz kleiner Stufe. Zur Deko die Zuckerschote und die Butter mit einer Prise Zucker und Salz 2 Minuten erhitzen.

Tipp: Auf jeden Fall versuchen, frische Poulardenbrust zu bekommen, schmeckt doppelt gut!

SCHLAUMEIER WISSEN: Von 700 g bis 1.200 g heißt es Hähnchen und ab 1.200 g heißt es Poularde, immer derselbe Vogel, manchmal männlich, manchmal weiblich!

45

RUMP

4 Rumpsteaks*
5 Tropfen Pflanzen- oder Bratfett (z.B. Biskin)
100ml Weißwein
100 ml Gemüsebrühe (fertiger Bratensaft aus dem Glas oder Pulver)
100 ml Sahne
2 Teelöffel Zucker
1 - 2 Teelöffel grüne Pfefferkörner
½ kleine Zwiebel
nussgroßes Stück Butter
Salz, Pfeffer
Paprikapulver
Thymian

STEAK in pfeffer-cognacrahm

474 KCAL/ PORTION

4 PERS.

Die Steaks mit Salz und Pfeffer würzen, die Pfanne stark erhitzen und dann ein paar Tropfen Öl o. ä. hineingeben. Die Steaks in das heiße Fett geben und mit Vollgas anbraten (dauert ca. 2 bis 3 Minuten), wenn sie schön braun sind, heraus nehmen und im vorgeheizten Backofen bei 75° Grad ca. 20 Minuten heißstellen.

In die Pfanne, in der zuvor die Steaks gebraten wurden, gibt man 2 Teelöffel Zucker und erhitzt die Pfanne so lange, bis der Zucker schmilzt und braun karamellisiert. Muss dann etwas schnell gehen, weil der Zucker gerne mal verbrennt. Zwiebeln, grüner Pfeffer und Thymianzweig in den Karamell geben, kurz anschwitzen, mit Weißwein und Brühe ablöschen und den Karamell loskochen. Danach Sahne und Butter dazu und mit Salz, Pfeffer und Paprikapulver zum Veredeln mit 2 bis 4 cl Cognac abschmecken. Das Steak aus dem Ofen nehmen und auf den heißen Teller geben. Sauce dazu.

Als Beilage einen kleinen Salat. Wenn das Steak groß genug ist, reicht auch nur ein Stück Baguette. Das ist mal echt ein scharfes Steak – etwas für Fleischliebhaber (so oder so).

* mindestens je 250 g, wenn Steak, dann auch eine Größe, die man auf dem Teller wiederfindet

LAMM

1 Lammrücken mit Knochen
(oder 800 g Lammrückenfilet)
4 Karotten
2 mittlere Kartoffeln
1 Teelöffel Mehl
1 Ei
4 Esslöffel Erbsen (Tiefkühlware)
4 Blätter frische Minze (oder ½ Beutel Pfefferminztee)
200 ml Gemüsebrühe (Fertigprodukt)
100 ml Sahne
50 g Butter
Salz, Pfeffer
Muskat, Zucker

RÜCKEN auf erbsen-minzsauce mit karottenrösti

512 KCAL/
PORTION
4 PERS.

Lammrücken vom Knochen lösen und alles an Sehnen und Fett entfernen. Das beste ist, man kauft Lammrückenfilet. Das Fleisch mit Salz und Pfeffer würzen, in der Pfanne anbraten und im vorgeheizten Backofen bei 90° Grad garziehen lassen. Die Erbsen in der Pfanne, in der zuvor der Lammrücken gebraten wurde, mit der Butter anschwitzen. Mit Gemüsebrühe ablöschen und die Erbsen ca. 10 Minuten garen.

In der Zwischenzeit die geschälten Kartoffeln und Karotten auf dem Küchenhobel raspeln, mit dem Mehl und Ei mischen und mit Salz und Muskat würzen. Die Karottenmasse in kleine Rösti formen und in einer Pfanne mit etwas Öl ca.10 Minuten braten. Die gegarten Erbsen mit der Brühe zusammen pürieren, Sahne und Minze dazu geben und noch einmal mixen, dabei mit Zucker, Salz und Muskat abschmecken.

Die Lammrücken nach ca. 10 Minuten aus dem Ofen holen und auf der Minzsauce in 5 bis 6 schrägen Scheiben anrichten. Das Rösti dazu legen und fertig. Achtung: Beim Braten des Lammrückens Rosmarinzweig und Thymian mit Knoblauch in der Pfanne mitbraten!

Tipp: Wenn es noch besser schmecken soll, macht man aus den Knochen und Sehnen mit etwas Suppengemüse eine Brühe, mit der man die Sauce auffüllt (ersetzt dann die Gemüsebrühe).

FRIKA

SÜSS **MILD** **HOT** **EXTRA HOT**
DATE WIFE KIDS **BOSS**
EINSTEIGER FORTGESCHRITTEN
EIWEISSARM **EIWEISSREICH**

2 kg Hackfleisch halb und halb
(also je 1 kg Mett und 1 kg Rinderhackfleisch)
4 - 5 eingeweichte trockene Brötchen
300 g gewürfelte Zwiebeln
4 - 5 Eier
2 gehäufte Teelöffel Senf
Salz, Pfeffer, Muskat
2 Esslöffel gehackte Petersilie
Paniermehl

ELLE ... und was sich sonst noch
so draus machen lässt

220 KCAL/
100 G

CA. 20 FRIKADELLEN

Hackfleisch mit den eingeweichten und gut ausgedrückten Brötchen mischen, bevor man die Zwiebeln dazu gibt. Diese zunächst ca. 2 bis 3 Minuten in der Pfanne braten. Eier, Senf, Pfeffer und Muskat zufügen. Salz dazu geben oder das Salz durch die gleiche Menge gekörnte Brühe ersetzen, dann die gehackten Kräuter beigeben.

Bevor man die Frikadellen brät, in Paniermehl wenden. Von jeder Seite ca. 2 Minuten braun braten und weitere 2 Minuten, diesmal mit Deckel auf der Pfanne.

Jetzt kommt Boss-Tuning:
Man(n) gibt in die Masse 2 bis 3 Chilischoten, macht die Frikadellen extra hot.
Man(n) gibt gehackte Oliven, Thymian, Knoblauch und 300 g Schafskäse dazu. Dann sind sie griechisch, türkisch oder einfach lecker mediterran.
Dose Mais und bunten Paprikawürfel in die Masse – sieht gut aus und ist schon fast vegetarisch.
Garniert mit Kresse wird es auch noch zum Augenschmaus, wie frisch von der Wiese.

SÜSS   MILD   **HOT**   EXTRA HOT
DATE   WIFE   KIDS   **BOSS**
EINSTEIGER   FORTGESCHRITTEN
EIWEISSARM   **EIWEISSREICH**

SSBRATEN

selbst gerollt und gefüllt

2,5 kg Schweinerücken oder -nacken
2 Zwiebeln
50 g grober Senf
1 rote Paprikaschote
1 Knoblauchzehe
30 g durchwachsener Speck
1 Esslöffel Paniermehl
Salz, Pfeffer, Paprikapulver
Rollbratengarn oder Zwirn
Prise Thymian
Prise Majoran

436 KCAL/ PORTION
8 PERS.

Schweinerücken der Länge nach so weit wie möglich einschneiden und aufklappen. Die Zwiebeln schälen und in grobe Würfel schneiden. Zwiebeln und die gewürfelte rote Paprika in der Pfanne leicht angaren, dauert ca. 2 bis 3Minuten. Den Braten mit dem Senf von innen bestreichen, die Zwiebelmasse mit dem Paniermehl darauf verteilen. Den durchwachsenen Speck in Würfel schneiden und den gehackten Knoblauch ebenfalls hinein. Jetzt mit Thymian und Majoran würzen. So fest wie möglich zusammen rollen und den Faden mehrmals herum wickeln und fest ziehen. Von außen mit Salz, Pfeffer und reichlich Paprika würzen. Damit kann Man(n) manch einen einwickeln!
Ca. 2 Stunden auf 165° Grad im Backofen backen lassen. Vor dem Aufschneiden etwa 15 Minuten runterkühlen lassen, Man(n) kann dann besser portionieren. Kartoffelsalat dabei, lecker lecker!

53

- 1 kg Gulaschfleisch vom Rind
- 500 g Zwiebelwürfel (grob)
- 250 g Karotten, geschält und gewürfelt
- 150 g Sellerieknolle, geschält und gewürfelt
- 1 Flasche 0,33l Bier (trinkfähige Sorte)
- 1 Flasche 0,33 l Malzbier
- 0,3 l Gemüsebrühe
- 50 g Schweineschmalz
- Salz, Pfeffer, 5 Lorbeerblätter
- 15 Stück Kümmelkörner (viel Spaß beim Zählen!)

500g frischer Rosenkohl (oder Tiefkühl)
Salz, Pfeffer, Muskat
Butter

BIERFLEISC

mit haselnuss-spätzle
und rosenkohlblättern

bierfleisch

Rindfleisch mit Salz und Pfeffer würzen. Schweineschmalz in einem großen flachen Topf erhitzen und das Rindfleisch von allen Seiten gut anbraten (muss sein, ohne Anbraten kein Geschmack). Zwiebeln und Gemüse dazu geben und ebenfalls anbraten. Lorbeerblätter und Kümmel dazu geben und mit Bier ablöschen, dann Malzbier dazu geben und mit Brühe auffüllen. Alles im offenen Topf ca. 1 Stunde auf kleinster Stufe des Herdes garen. Eventuell mit Stärke oder Saucenbinder Konsistenz regulieren. Zum Feintuning Salz, Pfeffer und etwas mehr Malzbier oder Zucker dazu geben.

Vom Rosenkohl den unteren Teil der Wurzel abschneiden und die welken Blätter entfernen, danach der Länge nach vierteln. Topf mit leicht gesalzenem Wasser (ca. 3l) zum Kochen bringen und Rosenkohl ca. 10 Minuten darin garen lassen. Mit dem Schaumlöffel aus dem Topf in kaltem Wasser abschrecken (ca. 5 l kaltes Wasser), danach im Sieb abschütten. Pfanne erhitzen und Rosenkohl hinein geben und erst danach Butter hinzufügen, mit Salz, Muskat und eventuell etwas Pfeffer würzen und leicht bräunen. Fertigen Rosenkohl über das Ragout geben, sieht gut aus und schmeckt!

Tipp: Nimmt man bei Zubereitung nur Malzbier und Brühe und Man(n) trinkt das Hellbier lieber, schmeckt alles halt etwas süßer (herber Geschmack fehlt etwas).

250 g Mehl
3 Eier
½ Tasse Milch
Salz, Muskat
4 Teelöffel gehackte Haselnüsse

525 KCAL/
PORTION
4 PERS.

haselnuss-spätzle

Mehl, Eier und Milch mit einer Prise Salz und Muskat würzen und dann mit der gewaschenen rechten oder linken Hand vermengen bzw. schlagen, bis ein echter Kleister entsteht, dauert ca. 5 Minuten (der Clevere nimmt eine Küchenmaschine oder einen Mixer).
Topf mit ca. 5 l leicht gesalzenem Wasser zum Kochen bringen und dann das Spätzlesieb darauf legen. Den Spätzleteig dritteln und nacheinander mit einem Teigschaber oder Spachtel durch das Sieb drücken. Ein bis zwei Minuten in Wasser kochen lassen und dann in kaltem Wasser abschrecken, anschließend im Durchschlag abtropfen lassen.

Butter mit Haselnüssen in der Pfanne erhitzen, ganz leicht bräunen, danach die Spätzle dazu, anbräunen lassen und mit Salz und Muskat nachschmecken.

Funktioniert natürlich auch mit Spätzle aus der Tüte, die man bissfest kocht und dann auch anschwenkt wie oben.

LACKIERTE GEFL

auf schoko-chilisauce
mit grießschnitten

SÜSS   MILD   **HOT**   EXTRA HOT

DATE   **WIFE**   KIDS   **BOSS**

EINSTEIGER   FORTGESCHRITTEN

EIWEISSARM   **EIWEISSREICH**

800 g Geflügelbrust (Pute)
Sweet-Chilisauce
300 ml Milch
70 g Grieß (Weichweizengrieß)
15 g Butter
1 Ei
100 ml Geflügelbrühe (Instant)
100 g Kuvertüre Zartbitter
1 Stück Chili (je nach Schärfe und Geschmack)
Salz, Pfeffer, Muskat, Prise Zucker

ÜGELSTEAKS

580 KCAL/
PORTION
4 PERS.

Die 800 g Putenschnitzel je nach Größe halbieren oder dritteln, so dass je nach Portion ca. 3 kleine Steaks entstehen. Die Milch mit einer Prise Salz und Muskat zum Kochen bringen und dann den Grieß auf einmal hinein schütten. Ca. 2 Minuten weiterkochen und 10 Minuten quellen lassen. Den Brei aus dem Topf in eine Schüssel geben, Butter und Ei darunter rühren und anschließend in eine sehr flache Form geben und abkühlen lassen.

Aus der ausgekühlten Masse Halbmonde ausstechen und in der Pfanne von jeder Seite eine Minute anbraten. Die Putensteaks mit Salz und Pfeffer würzen und mit etwas Margarine oder Bratfett ca. 2 Minuten von jeder Seite braten, dann zusammen mit den Grießschnitten warm stellen. In die Pfanne von den Geflügelsteaks Geflügelbrühe, Kuvertüre und 2 bis 3 Teelöffel Sweet-Chilisauce geben, aufkochen und die Chilisauce ist fertig. Einfach über die Steaks geben und servieren.

Tipp: Wenn man es sehr scharf haben möchte, einfach noch mehr Chili dazu geben.

ENT

1 Landente (franz., ca. 2.500 g)
1 Orange
1 Apfel
500 g Selleriewürfel
100 g Karottenwürfel
100 Lauchwürfel
300 ml Wasser
ca. 100 g Lebkuchen oder Honigkuchen
Salz, Pfeffer, Beifuß

mit rotkohl und lebkuchen

1.350 KCAL/ PORTION

4 PERS.

Den Backofen auf 160° Grad vorheizen, währenddessen den Bratentopf mit Wasser, Karotten, Sellerie und Porree füllen. Die Ente mit der Brust zuerst in den Topf legen, aber vorher mit einem Apfel und der Orange füllen und mit Salz, Pfeffer und Beifuß von außen und innen würzen.
Ca. 1,5 Stunden schmoren lassen. Die Ente auf den Rücken drehen und weitere 30 Minuten bei 220° Grad braun werden lassen. Den kompletten Bratenfond und das Enteninnere (Apfel, Orange) mit dem Schnellmixstab klein pürieren. Den Saft durch ein Sieb streichen und eventuell mit Wasser oder Orangensaft verdünnen, bis man eine schöne Konsistenz hat.

Tipp: Als Beilage Rotkohl aus dem Glas mit Apfelkompott, Johannisbeergelee und Zimt verfeinern und ca. 10 Minuten kochen lassen. Klöße oder Kartoffeln dazu servieren.

59

REHI

**im haselnussmantel
auf brombeersauce**

SÜSS   MILD   HOT   EXTRA HOT

DATE   **WIFE**   KIDS   BOSS

EINSTEIGER   **FORTGESCHRITTEN**

EIWEISSARM   **EIWEISSREICH**

600 g Rehkeule oder Hirschrücken
100 g gehackte Haselnüsse
100 g Paniermehl
2 Eier
100 g Mehl
1 - 2 Esslöffel Brombeerkonfitüre oder -gelee
1 Zweig Rosmarin
200 ml Rotwein
100 ml Gemüsebrühe oder Bratenfond
50 g Butter

MEDAILLONS

850 KCAL/
PORTION
4 PERS.

Rehkeulenfleisch oder Hirschrücken in ca. 50 g dünne Scheiben schneiden und mit Salz und Pfeffer würzen. Die Fleischscheiben zuerst in Mehl, dann Ei und zum Schluss in einem Gemisch aus dem Paniermehl und den Haselnüssen panieren und alles zum Schluss gut andrücken. Halb Öl und halb Margarine (bzw. Butter) reichlich in eine Pfanne geben, mit 3/4 Power des Elektro- oder Gasherdes erhitzen, dann von jeder Seite ca. 2 Minuten braten, bis sie braun sind.

In der Zwischenzeit die Konfitüre für die Sauce mit dem Rosmarinzweig erhitzen, Rotwein dazu geben und etwas einkochen lassen, dann die Brühe oder den Bratenfond dazu geben und nochmals etwas einkochen. Mit Salz und Pfeffer abschmecken und zu den fertigen Schnitzeln reichen.

Als Beilage einfach Kroketten aus dem Backofen oder Spätzle aus der Tüte servieren. Brombeeren (ruhig aus der Tiefkühltruhe) liefern eine schöne Garnitur,

ROQU

8 Rückensteaks vom Schweinelachs à 100 g
(beim Metzger schneiden lassen)
1 Dose Birnen
1 Packung Roquefortkäse
Salz, Pfeffer, Paprikapulver (edelsüß)

JEFORT-SCHWEIN

schweinerückensteak mit roquefort-birne

486 KCAL/
PORTION
4 PERS.

Schweinerückensteak mit Salz, Pfeffer und Paprikapulver würzen. Pfanne gut heiß werden lassen und Steaks darin von jeder Seite etwa 1 bis 2 Minuten gut bräunen.
Birnenhälften aus der Dose leicht einschneiden und auf die Steaks legen. Roquefortkäse darauf verteilen und in den Backofen auf Oberhitze mit Vollgas überbacken, dauert ca. 5 bis 10 Minuten (der Käse soll leicht schmelzen). Dazu passt hervorragend der Himbeer-Chili Dip (Rezept siehe Seite 34).

Tipp: Als Beilage passen hervorragend Rösti-Ecken aus dem Ofen.

CHIL

SÜSS   MILD   **HOT**   **EXTRA HOT**

DATE   WIFE   KIDS   **BOSS**

EINSTEIGER   FORTGESCHRITTEN

EIWEISSARM   **EIWEISSREICH**

600 g Rinderhack
600 g grüne Bohnen
1 kleine Dose Kidneybohnen
1 kleine Dose Tomaten (geschält und gewürfelt)
2 Zwiebeln, grob in Würfel geschnitten
2 Chilischoten
Öl, Salz, Pfeffer, Paprika rosenscharf
Bohnenkraut, Zucker

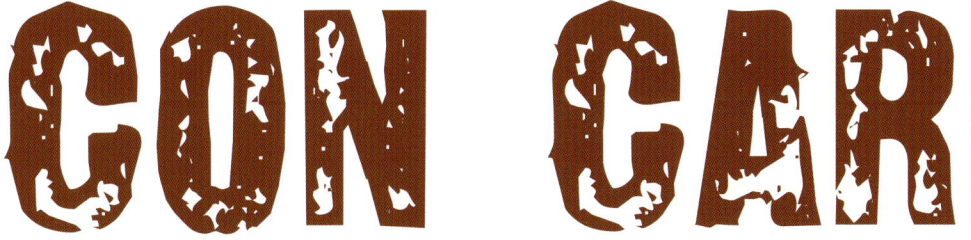

I CON CARNE

für echte männer

312 KCAL/ PORTION

4 PERS.

Einen großen Topf erhitzen, etwas Öl und Rinderhack hinein geben, alles ca. 5 Minuten anbraten lassen. Zwiebeln dazugeben und ebenfalls anbraten lassen, dann alle anderen Zutaten beigeben, um dann mit Salz, Pfeffer, Paprika, Bohnenkraut und einer Prise Zucker zu würzen. Gute 20 Minuten bei mäßiger Hitze weiter kochen lassen.

Klassisch isst Man(n) das Chili-Con-Carne mit Weizen- oder Maisfladen, kann man im Supermarkt fertig kaufen.

Tipp: Man(n) kann hier so richtig Chili-Tuning machen, bis zu extra, extra, extra hot hot hot!

CO

4 Schmetterlingsteaks
(vom Metzger schneiden lassen)
1 Kugel Mozzarella
1 Tomate
4 Blätter Basilikum
2 Esslöffel Mehl
1 Ei
4 Esslöffel Paniermehl
2 Esslöffel geriebenen Parmesankäse
Salz, Pfeffer

RDON BLEU

auf italienisch

340 KCAL/
PORTION
4 PERS.

Die Schmetterlingsteaks schön plattieren (heißt richtig platt klopfen), dann Mozzarella und Tomaten in vier Scheiben schneiden, mit Basilikum, Salz und Pfeffer würzen und alles in die Schnitzel legen. Einfach zusammenklappen und mit Salz und Pfeffer würzen. Erst in Mehl, dann in Ei, dann im mit Parmesankäse gemischten Paniermehl wenden. Ordentlich die Panierung fest klopfen!
Pfanne mit reichlich Öl (ca. ¼ Liter) gut heiß werden lassen und die gefüllten Schnitzel darin von jeder Seite ca. 5 Minuten braten. Als Beilage Gnocchi oder Spaghetti dazu servieren.

Tipp: Man kann auch Schafskäse oder Frischkäse als Füllung nehmen.

mit viel schwein
und pilzen

KARTO

SÜSS **MILD** HOT EXTRA HOT

DATE WIFE **KIDS** **BOSS**

EINSTEIGER FORTGESCHRITTEN

EIWEISSARM EIWEISSREICH

800 g Schweinegulasch
600 g Kartoffel
400 g Zwiebel
250 g Champignons
2 Knoblauchzehen
30 g Butter
500 ml Gemüsebrühe
Salz, Pfeffer, Prise Kümmel
Prise Thymian, Prise Muskat

FFEL-GULASCH

510 KCAL/
PORTION
4 PERS.

Kartoffeln wie gewohnt von der Frau schälen lassen, und wenn sie schon einmal dabei ist, auch noch die Zwiebeln. Die geschälten Kartoffeln, Zwiebeln und Champignons in dünne Scheiben oder fingernagelgroße Würfel schneiden. Eine feuerfeste Form mit Butter ausstreichen, klein geschnittenen Knoblauch unten in die Form legen. Das gewürfelte Gemüse mit dem Schweinegulasch mischen und hinein geben. Mit Salz, Pfeffer und den Gewürzen würzen. Mit Gemüsebrühe auffüllen, Alufolie abdecken und für eine Stunde bei 180° Grad in den Ofen stecken.
Dazu isst Man(n) Gewürzgurke oder Rote Bete.

Tipp: Man(n) kann auch noch Käse darüber streuen, ist dann noch etwas herzhafter!

69

SCHWEINEFILET

in kaffeesauce mit orange und whisky, dazu polentamonde

- 300 ml Wasser
- 300 ml Milch
- 1 Knoblauchzehe
- 80 g Zwiebel (1 mittelgroße)
- 150 g grober Maisgrieß
- 50 g Butter
- 60 g Parmesan
- Salz, Pfeffer

polenta:

Polenta auf jeden Fall vor den Schweinefilets machen! Zwiebel und Knoblauch in Butter anschwitzen, mit Milch und Wasser aufgießen, mit etwas Salz und Pfeffer würzen und aufkochen. Maisgrieß dazu gießen, 5 Minuten kochen lassen, dabei ständig umrühren, sonst brennt es an.
Herd auf die kleinste Stufe stellen, Deckel drauf und ca. 50 Minuten ziehen lassen. Dann ca. 1 cm dick auf ein Blech gießen und auskühlen lassen. Danach Monde oder Taler ausstechen, mit Parmesan bestreuen und im Backofen bei 180° Umluft ca. 5 Minuten erwärmen. Isst man die Polenta sofort nach dem Garziehen, gibt man vor dem Servieren Butter und Parmesan in die Masse.

Tipp: Die Zugabe von Kräutern in die Polenta ist echt gut! Bärlauch, Schnittlauch oder Petersilie, wenn es grün werden soll, einfach 50g Rahmspinat dazu geben.

SÜSS **MILD** HOT EXTRA HOT

DATE WIFE KIDS **BOSS**

EINSTEIGER **FORTGESCHRITTEN**

EIWEISSARM **EIWEISSREICH**

800 g Schweinefilet (ca. 2 Stück)
20 g Butaris
Salz, Pfeffer, Zucker
1 Espresso
1 Espressotasse Scotch-Whisky (mild)
1 Kaffeetasse Orangensaft
125 ml Fertigbratensauce (Tütchen)
20 g Butter

610 KCAL/
PORTION
4 PERS.

schweinefilet:

Schweinefilet mit Salz und Pfeffer würzen, in Butter-
schmalz anbraten, bis es von allen Seiten leicht braun ist
(also Herd auf höchste Stufe stellen). Dauert ca. 3 Minuten, dann die Filets im Backofen bei 120° Grad weitere
25 Minuten gar ziehen lassen. Nachdem man die Filets
aus der Pfanne genommen hat, gibt man einen Esslöffel
Zucker hinein und lässt ihn sehr dunkelbraun werden.
Mit Espresso, Whisky und Orangensaft ablöschen und
etwas einkochen lassen. Die Fertigsauce dazu geben und
die Butter unterrühren, weiter einkochen lassen, bis es
leicht eingedickt ist.

Tipp: Wem es zu kräftig nach Kaffee oder Whisky
schmeckt, Kochcreme oder Kochsahne dazu geben,
macht den Geschmack länger!

SESA

SÜSS   MILD   **HOT**   **EXTRA HOT**
DATE   **WIFE**   KIDS   **BOSS**
EINSTEIGER   FORTGESCHRITTEN
EIWEISSARM   **EIWEISSREICH**

600 g Hähnchenbrust oder Putenschnitzel
3 Esslöffel Mehl
1 Ei
3 Esslöffel Sesam (geschält)
1 Esslöffel Paniermehl
Tandoori-Currypaste
200 g Reis
400 ml Gemüsebrühe
200 ml Pflanzenöl
Currypulver, Salz, Pfeffer
200 g griechischen Joghurt
4 Minzblätter
1 Spritzer Zitrone
Prise Zucker

M-SCHNITZEL

an curryreis

210 KCAL/
PORTION
4 PERS.

Jede Hähnchenbrust in ca. 3 Scheiben schneiden, etwas platt klopfen, mit Salz und Pfeffer würzen und mit Tandoori-Currypaste sehr dünn einstreichen und einziehen lassen. Den Reis mit dem Currypulver in Öl 1 Minute anschwitzen lassen, mit Gemüsebrühe auffüllen, Deckel auf den Topf und bei schwacher Hitze ca. 18 Minuten garen lassen.

Jetzt die marinierten Hähnchenschnitzel erst in Mehl, dann in Ei und zum Schluss in einem Gemisch aus Sesam und Paniermehl wenden und fest anklopfen!

Reichlich Öl in die Pfanne geben und erhitzen, die Schnitzel von jeder Seite ca. 2 Minuten braten, schon ist alles fertig!

Zu den scharfen Schnitzeln isst Man(n) ein Minzjoghurt mit Zitrone: einfach den Joghurt mit der gehackten Minze, einem Spritzer Zitrone und einer Prise Zucker verrühren. Fertig.

Tipp: Mit Streifen von frischer Mango oder Ananas servieren.
Alternativ passt auch der Curry-Bananen-Dip sehr gut (siehe Seite 34)!

KOT

SÜSS   MILD   HOT   EXTRA HOT
DATE   **WIFE**   KIDS   **BOSS**
EINSTEIGER   FORTGESCHRITTEN
EIWEISSARM   **EIWEISSREICH**

4 Stielkoteletts
1 Esslöffel grober Senf
1 Zwiebel
200 ml Gemüsebrühe
100 ml Sahne
1 Esslöffel Mehl
1 Gewürzgurke
Öl oder Margarine
Salz, Pfeffer, Zucker, Estragon

...ELETT
auf senfsauce

380 KCAL/
PORTION
4 PERS.

Die Stielkoteletts mit Salz und Pfeffer würzen. Die Pfanne erhitzen, Öl hinein geben und den Koteletts bei Vollgas von jeder Seite ca. 3 bis 4 Minuten gute Farbe geben. Backofen auf 120° Grad stellen und Koteletts darin warm stellen. In der Pfanne, wo die Kotelett drin waren, gewürfelte Zwiebel hinein geben, kurz anschmoren ca. 1 bis 2 Minuten), einen Esslöffel Mehl dazu und mit Brühe ablöschen, alles aufkochen lassen, den Senf dazu geben. Mit Estragon, einer Prise Zucker, Sahne, Salz und Pfeffer abschmecken und über die Koteletts geben. Dazu passen sehr gut Bratkartoffeln (die kann Man(n) ja die Frau machen lassen). Gurkensalat als Beilage ist auch echt genial!

Tipp: Kalbkoteletts oder Rinderkoteletts gehen auch, dauert nur etwas länger im Ofen.

RINDER-

SÜSS **MILD** HOT EXTRA HOT
DATE WIFE KIDS BOSS
EINSTEIGER FORTGESCHRITTEN
EIWEISSARM **EIWEISSREICH**

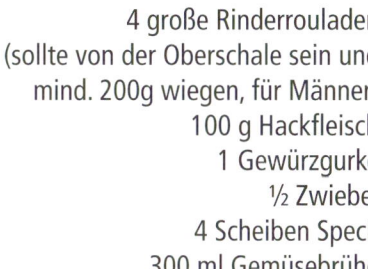

4 große Rinderrouladen
(sollte von der Oberschale sein und
mind. 200g wiegen, für Männer)
100 g Hackfleisch
1 Gewürzgurke
½ Zwiebel
4 Scheiben Speck
300 ml Gemüsebrühe
100 ml Rotwein
grober Senf
Öl, Salz, Pfeffer

-ROULADE

schmeckt immer lecker

345 KCAL/
PORTION
4 PERS.

Die Rouladen schön dick mit Senf einstreichen. Vorher die Platte, auf die Man(n) die Roulade legt, mit Pfeffer und Salz bestreuen, so sind die Rouladen von außen gewürzt. Das Hackfleisch, den Speck, die in Ringe geschnittene Zwiebel und die gewürfelte Gurke auf die Roulade legen und alles zusammenwickeln und mit einer Rouladenklammer oder einem Zahnstocher fixieren. Pfanne auf Vollgas, Öl hinein, Roulade rein und gut anbraten lassen (5 bis 10 Minuten).
Mit Brühe und Rotwein ablöschen und für gute 1 ½ Stunden bei 160° Grad in den Ofen legen. Bei der Hälfte der Garzeit abdecken. Bratenfond nach Ende der Garzeit absieben und mit Saucenbinder oder mit in Wasser angerührter Stärke abbinden. Mit Salz und Pfeffer nachschmecken. Sieht besonders gut aus, wenn Man(n) die Roulade zum Servieren aufschneidet!

Feintuning-Tipp: Schmeckt die Sauce zu laff, Senf und eine Prise Zucker dazugeben.

77

GUL

aus

SÜSS   MILD   **HOT**   EXTRA HOT
DATE   WIFE   KIDS   **BOSS**
EINSTEIGER   FORTGESCHRITTEN
EIWEISSARM   **EIWEISSREICH**

ASCH

dem schlauch mit brot

1 kg Rindergulasch
300 g gewürfelte Paprika
2 gewürfelte Zwiebeln
1 bis 2 Chilischoten
Schale einer ¼ Zitrone
10 Kümmelkörner
1 Dose geschälte Tomaten
4 Lorbeerblätter
ca. ½ Teelöffel Salz, Pfeffer
Prise Zucker, Prise Basilikum

285 KCAL/
PORTION

4 PERS.

Ein Mörder-Gulasch geht echt einfach, ist leicht scharf, isst Man(n) am besten nur mit Brot und das Beste: Die Küche bleibt sauber! Freut sich die Frau oder Lebenspartnerin oder auch man selbst. Bratenschlauch an einem Ende zubinden, alle Zutaten hineingeben und das andere Ende zusammenbinden. Für ca. 2 Stunden bei 160° Grad in den Backofen legen. Zum Servieren einfach aus dem Schlauch in eine Schüssel geben und genießen!

Tipp: Sauerrahm passt als Dip super dazu, macht alles etwas frischer!

79

4 Schweineschnitzel
1 Esslöffel grüne Oliven
1 Esslöffel schwarze Oliven
Schale einer ¼ Zitrone
250 g Cherrytomaten
500 g Gnocchi (Fertigprodukt)
3 Stengel Basilikum
Olivenöl, Salz, Pfeffer, Zucker

INVOLTINI

vom schwein mit zitronen-olivenfüllung und tomate-basilikum-gnocchi

360 KCAL/ PORTION
4 PERS.

Die Schnitzel in einer Plastiktüte super flach klopfen. Die gehackten Oliven, Zitronenschale und je 2 Cherrytomaten auf die Schnitzel verteilen, aufrollen und mit Zahnstochern fixieren. Mit Salz und Pfeffer würzen. Jetzt die Pfanne heiß machen, Öl hinein geben und die Röllchen von allen Seiten ca. 2 Minuten anbraten. Dann Deckel auf die Pfanne und 10 Minuten bei kleiner Temperatur (2 von 10) garziehen lassen. Die Gnocchi für 2 bis 3 Minuten in kochendes Wasser geben, danach abschütten und in Olivenöl mit dem Rest Cherrytomaten anschwenken. Mit Salz, Zucker und Basilikum würzen, alles gut!

Tipp: Funktioniert auch sehr gut mit Geflügelbrust oder Kalbsschnitzel.

WIEN

SÜSS **MILD** HOT EXTRA HOT

DATE **WIFE** **KIDS** **BOSS**

EINSTEIGER FORTGESCHRITTEN

EIWEISSARM **EIWEISSREICH**

4 Kalbschnitzel ca. 180 g
(geht auch mit Schwein oder Putenschnitzel)
2 Esslöffel Mehl
1 Ei
2 alte trockene Brötchen
Salz, Pfeffer, Zitrone
Öl, Butter

ER SCHNITZEL

mag doch jeder

420 KCAL/
PORTION

4 PERS.

Schnitzel ordentlich platt klopfen, dann mit Salz und Pfeffer würzen. Zuerst in Mehl, dann in das gut schaumig geschlagene Ei und zum Schluss in klein gebröselten Brötchen oder in Paniermehl wenden und gut festklopfen.

Die Pfanne mit reichlich einem halben Liter Öl und der Hälfte der Butter erhitzen (ca. 1 cm hoch in der Pfanne). Die Schnitzel in das heiße Fett geben. Wenn sie von beiden Seiten braun gebraten sind, aus der Pfanne nehmen, dauert ca. 2 bis 3 Minuten. Mit Zitronen serviert der absolute Klassiker!

Tipp: Vorher die Schnitzel mit einer Zitronenscheibe einreiben, bevor man sie paniert, schmeckt echt gut.

SAT

SÜSS MILD HOT EXTRA HOT

DATE WIFE KIDS BOSS

EINSTEIGER FORTGESCHRITTEN

EIWEISSARM EIWEISSREICH

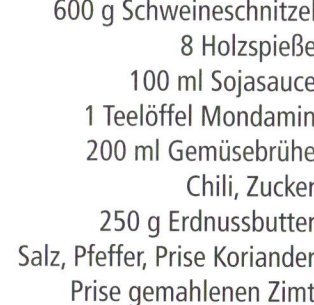

600 g Schweineschnitzel
8 Holzspieße
100 ml Sojasauce
1 Teelöffel Mondamin
200 ml Gemüsebrühe
Chili, Zucker
250 g Erdnussbutter
Salz, Pfeffer, Prise Koriander
Prise gemahlenen Zimt

EE-SPIESSE

mit fleisch auf reis

390 KCAL/
PORTION
8 PERS.

Zuerst aus Sojasauce und einem Teelöffel Mondamin mit einer Chilischote, je einer Prise Zimt und Koriander eine Marinade rühren. Schweinefilet in dünne Scheiben schneiden (geht auch sehr gut mit Huhn oder Rindersteak) und für ca. eine Stunde in die Marinade legen. Das Fleisch längs auf die geölten Holzspieße spießen und mit Salz und Pfeffer würzen. Eine Pfanne erhitzen, Öl hineingeben und die Spieße nach und nach anbraten, anschließend im Ofen auf 100° Grad heiß stellen. Brühe und Erdnussbutter zusammen in den Topf geben, einmal aufkochen und gut verrühren. Mit Sojasauce, Zucker und Chili abschmecken. Reis dazu servieren, am besten eignet sich Basmati-Reis.

Tipp: Holzspieße vorher mit Öl einstreichen, dann löst sich das Fleisch später besser von dem Spieß

8 kleine Lummersteaks à 80 g
(Minutensteaks vom Schweinerücken)
2 Eier
2 Esslöffel Parmesankäse
(geraspelter Gouda, Emmentaler etc.)
2 Esslöffel Mehl
1 kleine Dose geschälte gehackte Tomaten
1 Knoblauchzehe
Salz, Pfeffer, Zucker
Basilikum, Olivenöl, Öl, Butter

NE STEAKS

in käse-ei-hülle

485 KCAL/
PORTION
4 PERS.

Die Lummersteaks gegebenenfalls noch etwas platt klopfen, sie sollten schön flach sein. Mit Salz und Pfeffer würzen, dann in Mehl wenden. Ei und Käse mischen. Die Steaks durchziehen und in die schön heiße Pfanne (Stufe 7 von 10) geben und von jeder Seite etwa 2 Minuten braten lassen.
Spaghetti in sehr salzigem Wasser kochen. Die Dose Tomaten mit Salz, Pfeffer, Zucker, gehackter Knoblauch, Olivenöl mit zwei Prisen Basilikum mischen und im Topf bei schonender Hitze erwärmen.

Tipp: Auf jeden Fall eine beschichtete Pfanne benutzen,
da die Steaks gerne festkleben, Pfannenheber benutzen

SCHWEINE

SÜSS **MILD** HOT EXTRA HOT

DATE **WIFE** KIDS **BOSS**

EINSTEIGER FORTGESCHRITTEN

EIWEISSARM **EIWEISSREICH**

1 kg Schweinenacken (für Frauen, Lummer)
1l Apfelsaft, naturtrüb
500 g Zwiebeln, in grobe Würfel geschält
3 Knoblauchzehen, geschält und gehackt
8 Lorbeerblätter
4 Zimtstangen
8 Nelken
10 Pfefferkörner, gestoßen
2 Stück Boskop-Äpfel
Salz, Pfeffer, Prise Zucker

RÜCKENBRATEN

470 KCAL/
PORTION
4 PERS.

in apfelsaft mariniert mit calvados-rahm und rosmarinkartoffeln

Apfelsaft mit Zwiebeln und gehacktem Knoblauch, den Lorbeerblättern, Zimt, Nelken und gestoßenem Pfeffer mischen und den Schweinenacken 3 Tage darin einlegen und in den Kühlschrank stellen.
Braten aus der Marinade nehmen und mit Küchenpapier trocken tupfen, Salz und Pfeffer in Bratentopf anbraten, die Marinade zugießen und für ca. 45 bis 60 Minuten (je nach Dicke) im Ofen bei 180° Grad Umluft garen. Nach einer halben Stunde die Äpfel dazugeben und mitkochen.
Nach Ende der Garzeit den Bratenfond mit dem Schnellmixstab pürieren. Ca. 150 ml Sahne und Calvados dazu abschmecken.

ROSI

SÜSS **MILD** HOT EXTRA HOT
DATE **WIFE** KIDS BOSS
EINSTEIGER **FORTGESCHRITTEN**
EIWEISSARM **EIWEISSREICH**

600 g Pfannenkartoffeln (Drillinge)
Rosmarin
Salz, Zucker
Schmalz, Kümmel
1 kg Rinderhüfte am Stück
Salz, Pfeffer

MARIN- KARTOFFELN

mit rosa rinderhüfte

400 KCAL/ PORTION
4 PERS.

Kartoffeln waschen und mit Wasser bedeckt und Kümmel 15 Minuten kochen. Abschütten und in der Pfanne ohne Fett etwas Farbe geben, mit Rosmarinnadeln, einer Prise Zucker und etwas Salz würzen.

Die Rinderhüfte mit Salz und Pfeffer aus der Mühle würzen. Pfanne stark erhitzen und die Hüfte darin ca. 10 Minuten von allen Seiten gut anbraten. Ofen auf 240° Grad erhitzen, die Hüfte mit der Pfanne für ca. 15 Minuten in den Ofen stellen. Ofen ausmachen und weitere 45 Minuten darin lassen. Auf keinen Fall zwischendurch die Tür öffnen! So holt man einen super rosa Braten aus dem Ofen …

91

aufgerollt und aufgespießt
mit starken kräutern

SÜSS **MILD** HOT EXTRA HOT

DATE WIFE **KIDS** BOSS

EINSTEIGER FORTGESCHRITTEN

EIWEISSARM **EIWEISSREICH**

3 Schweineschnitzel, je ca. 220 g
1 Esslöffel Mehl
1 Ei
2 Esslöffel Paniermehl
1 sehr fein gehackte kleine Knoblauchzehe
2 Esslöffel frische Kräuter
(zu gleichen Teilen Petersilie, Schnittlauch,
Rosmarin, Basilikum)
4 lange oder 8 kurze Holzspieße
Öl, Salz, Pfeffer

SCHNITZEL

345 KCAL
4 PERS.

Die Schnitzel schön flach klopfen (dafür eine Plastiktüte drüberziehen), mit Salz und Pfeffer würzen, in Mehl legen und durch das aufgeschlagene Ei ziehen. Paniermehl und Kräuter mischen, die Schnitzel dann darin wälzen und fest andrücken. Der Länge nach aufrollen und sehr fest zusammendrücken und in ca. 1 cm dicke Röllchen schneiden. Vier bis fünf Stück jeweils mit dem Wickelanfang aneinander legen und auf den Holzspieß aufspießen. Eine Pfanne erhitzen, Öl hineingeben, heiß werden lassen und die Spieße pro Seite 2 bis 3 Minuten garen. Ist ein cooler Snack oder mit Beilage wie Gnocchi oder Salat auch als Hauptmahlzeit ein Hit.

Tipp: Geht auch gut mit Hähnchenbrust und Paniermehl mit gehackter Paprika oder mit Käse.

750 g Lachsfilet
1 kleine Zwiebel (Schalotte)
3 Tomaten
6 frische Champignonköpfe
500 g Spinatnudeln
ca. 50 g italienische Gewürzmischung (Tiefkühl)
300 ml Küchensahne (Kochcreme)
100 ml Weißwein
Salz, Pfeffer
20 g Butter

ACHSRAGOUT

563 KCAL/
PORTION
4 PERS.

mit frischen kräutern, tomate, champignons und spinatnudeln

In einem flachen Kopftopf (Durchmesser ca. 40 cm) Butter und feingehackte Zwiebeln glasig anschwitzen. Lachsfiletwürfel in ca. 3 cm große Stücke schneiden, mit Salz und Pfeffer würzen und ebenfalls anschwitzen, ca. 1-2 Minuten.
Champignons in Scheiben schneiden, die Tomaten entkernen, ebenfalls in Würfel schneiden und dazugeben. Mit dem Weißwein ca. 2 Minuten andünsten lassen. Die Sahne dazu gießen und 5 Minuten mit Deckel garziehen lassen, sollte nur ganz leise kochen.
Mit Salz und Pfeffer und den Tiefkühl-Kräutern abschmecken und auf den in reichlich Salzwasser gekochten Spinatnudeln anrichten. Eventuell mit frischem Dill und Tomate garnieren.

95

FISC

6 Zanderfilets à ca. 170 g
(insgesamt 900 - 1000 g)
100 g Blattspinat
(am besten frisch, sonst Tiefkühlkost)
1 bis 2 Tomaten
1 Esslöffel Paniermehl
Salz, Pfeffer
Butter, Frischhaltefolie, Alufolie
großer Gefrierbeutel

H-ROULADE

vom zander mit
spinat und tomate

190 KCAL/
PORTION
4 PERS.

Den Gefrierbeutel an der Seite aufschneiden, so dass man ihn aufklappen kann. Ein 40 cm langes Stück Alufolie abreißen, in der gleichen Länge Frischhaltefolie. Diese Folie drauflegen, das ganze dreimal. Fischfilet in den Gefrierbeutel legen und mit einem Fleischklopfer oder Stieltopf sehr flach klopfen. Auf die vorbereitete Alufolie Frischhaltefolie legen, je 2 Stück nebeneinander mit Salz und Pfeffer würzen und mit etwas Paniermehl bestreuen. Spinat darauf verteilen, Tomate in Streifen schneiden und auf den Spinat legen. Mit der Folie zusammen sehr fest aufrollen und an dem Ende wie ein Bonbon zusammen drehen. Den Backofen auf 120° Grad stellen und das Backblech mit zwei Tassen Wasser auffüllen. Die Rollen drauflegen und für ca. 35 Minuten im Backofen garen lassen. Kartoffeln dazu als Beilage, sehr schön passt auch der Wasabi Dip (Seite 34).

LACH

gepaart mit

4 Tiefkühl-Lachssteaks, à ca. 150 g
4 Esslöffel Paniermehl
30 g Kräuterbutter (Kühlregal)
1 Teelöffel Kräutermischung Provence
1 Eigelb
Salz, Pfeffer
6 dicke Pellkartoffeln
(oder Kartoffeln vom Vortag)
1 Becher Sahne (200 g)
ca. 50 g Kräuterbutter (Kühlregal)
Salz, Pfeffer

S MIT KRÄUTERKRUSTE

**350 KCAL/
PORTION**

rahmkartoffeln

4 PERS.

Lachssteaks ca. 1 Stunde auftauen lassen. Aus Paniermehl, Kräuterbutter und Eigelb einen Teig kneten und auf die mit Salz und Pfeffer gewürzten Lachssteaks verteilen. In den Backofen schieben und bei 180° ca. 20 Minuten backen.

Kartoffeln pellen, in Scheiben schneiden und in eine feuerfeste Auflaufform legen. Diese mit Sahne auffüllen, Kräuterbutter darauf geben, 2 Prisen Salz darüber und 2 mal kräftig an der Pfeffermühle drehen. Alles zusammen bei 180° ca. 15 Minuten in den Backofen. Alles lecker, alles gut!

Tipp: Geht mit fast jedem Fisch, zusammen mit der Kartoffel in den Ofen legen, aber 5 Minuten eher heraus nehmen.

99

FISC

SÜSS **MILD** HOT EXTRA HOT
DATE **WIFE** KIDS **BOSS**
EINSTEIGER FORTGESCHRITTEN
EIWEISSARM **EIWEISSREICH**

4 Fischfilets (Seelachs, Rotbarsch, etc.)
1 Karotte
½ Stange Porree
Butter
Salz, Pfeffer
¼ Zitrone

HFILET in alu-optik

180 KCAL/
PORTION
4 PERS.

Die Alufolie in 40 cm lange Stücke schneiden, mit Butter einstreichen, jeweils ein Fischfilet darauf legen und mit Salz und Pfeffer würzen. Das Gemüse waschen, schälen und in dünne Streifen schneiden. Auf dem Fisch verteilen, kleine Zitronenspritzer auf den Fisch spritzen und die Folie verschließen. Backofen auf 180° Grad vorheizen und den Fisch für ca. 20 Minuten hineinlegen. Mit Pellkartoffeln (Kartoffeln zu pellen) und Kräuter-Dip servieren.

Tipp: Kann Man(n) auch mit Geflügel machen und Kräuter dazu geben

RÄUCHERE

300 g Räucherlachs, in Scheiben geschnitten
250 g Mehl
500 g Milch
3 Eier
1 - 2 Äpfel
¼ Zitrone
Prise Zucker, Salz, Muskat
Messerspitze Zimt (mehr nicht, also echt wenig)
Teelöffel Meerrettich
2 - 3 Esslöffel Schmand
gehackter Dill, Schnittlauch, Petersilie

LACHS-CREPE

crêpe mit apfel-zimt-meerrettich- schmand und räucherlachs

395 KCAL/ PORTION
4 PERS.

Aus den Zutaten Mehl, Milch und Eiern einen glatten Teig anrühren, dann mit einer Prise Salz und Muskat würzen, bevor man ihn eine Stunde ruhen lässt. Ein bis zwei Äpfel schälen und mit der Küchenraspel fein raspeln, später mit Zitronensaft aus der frischen Zitrone vermischen, Zucker und Zimt dazu geben. Schmand, Meerrettich und Apfelmasse mischen. Aus dem Teig schöne große Crêpes abbacken, dabei den Crêpes beim Backen etwas Farbe geben. Leicht abkühlen lassen, mit Räucherlachsscheiben belegen und die Apfelmasse darauf streichen und zur Roulade aufrollen. Die in Alufolie gewickelten Crêpes eine Stunde kalt stellen. Zum Servieren in 1 cm dicke Scheiben schneiden und auf Blattsalaten servieren.

SÜSS   MILD   HOT   EXTRA HOT
DATE   WIFE   KIDS   BOSS
EINSTEIGER   FORTGESCHRITTEN
EIWEISSARM   EIWEISSREICH

3 Äpfel (z.B. Breaburn)
kleine Flasche Pils 0,33l
300 g Mehl
Prise Salz
100 g Zucker
1 Teelöffel Zimt
1 Teelöffel Vanillezucker
Vanilleeis

...FELBEIGNETS

eine runde sache

283 KCAL/
PORTION
4 PERS.

Das Bier (schade, schade) mit dem Mehl zu einem dicken Teig verrühren. Aus den Äpfeln mit einem Apfelausstecher das Kerngehäuse entfernen und schälen. Die Äpfel danach in vier Scheiben schneiden, leicht mit Mehl bestäuben, durch den Bierteig ziehen und sofort in eine Pfanne mit heißem Öl legen. Von jeder Seite ca. 2 Minuten ausbacken. Die noch heißen Apfelringe in einem Gemisch aus Zimt, Zucker und Vanillezucker wenden. Mit Vanilleeis servieren.

Tipp: Der Teig sollte so dick sein, dass der Finger, wenn man ihn in den Teig steckt und wieder herauszieht, mit Teig überzogen ist.

ZABA

SÜSS MILD HOT EXTRA HOT
DATE WIFE KIDS BOSS
EINSTEIGER FORTGESCHRITTEN
EIWEISSARM EIWEISSREICH

3 Eier
100 ml Weißwein
3 Esslöffel Zucker
2 cl Orangenlikör,
Amaretto, Rum o.ä.

IONE
mit ordentlich schnaps

560 KCAL/
100 G
4 PERS.

Die Eier in eine runde Metallschüssel geben und Zucker, Wein und Schnaps nach Geschmack dazu geben. Einen Topf in der Größe wählen, dass die Schüssel hinein passt. Ca. 1 bis 2 Liter Wasser hineingeben und auf dem Herd leicht köcheln lassen. Mit einem sehr dichten Schneebesen sehr kräftig schaumig schlagen.

Das Ei bindet so langsam ab. Wenn Man(n) eine leichte Bindung merkt, den Topf vom Herd nehmen und 1 bis 2 Minuten weiter schlagen. Sofort in Gläser füllen und mit frischen Erdbeeren, Himbeeren oder ähnlichem servieren.

Ist echt sinnlich, ihr wisst schon, was ich meine!

ZIMT-

SÜSS ~~MILD~~ ~~HOT~~ ~~EXTRA HOT~~
DATE ~~WIFE~~ ~~KIDS~~ ~~BOSS~~
~~EINSTEIGER~~ **FORTGESCHRITTEN**
EIWEISSARM ~~EIWEISSREICH~~

2 Eier
2 Esslöffel Zucker
2 Esslöffel Rotwein
2 Esslöffel Rum
2 Esslöffel Preiselbeeren
250 g Schlagsahne
Vanille, Zimt

Pflaumen:
½ Glas Pflaumen
½ Tasse Rotwein
2 Teelöffel Zimt
1 Esslöffel Zucker
½ Packung Vanillepudding

PARFAIT
mit pfläumchen

336 KCAL/
PORTION
4 PERS.

Die Eier mit Zucker, Rotwein, Rum, Vanillezucker oder Vanilleschote und 1 Teelöffel gemahlenen Zimt im Wasserbad (wie bei der Zabaione) aufschlagen, bis es leicht abgebunden hat. Im kalten Wasser dann kalt rühren, dauert sicher gut eine halbe Stunde. Unter die gekühlte Creme die steif geschlagene Sahne heben.
In eine mit Frischhaltefolie ausgelegte Form füllen und in die Tiefkühlung geben. Nach ca. 5 Stunden ist es durchgefroren.

Das halbe Glas Pflaumen durch ein Sieb schütten und den Saft mit Rotwein, Zimt und Zucker zusammen aufkochen. Das halbe Päckchen Vanillepuddingpulver mit einem Esslöffel Wasser anrühren und in den kochenden Pflaumensud geben, anschließend Pflaumen dazugeben und warm servieren. Das Parfait in Scheiben schneiden und dann servieren.

SÜSS   MILD   HOT   EXTRA HOT
DATE   WIFE   KIDS   BOSS
EINSTEIGER   FORTGESCHRITTEN
EIWEISSARM   EIWEISSREICH

450 ml Milch
1 Paket Vanillepudding zum Kochen
6 cl Rum
4 Esslöffel Zucker
250 g Schlagsahne
100 g geraspelte Zartbitter-Schokolade
(Kuvertüre)

ERRENCREME
die muss man(n) können!

248 KCAL/
PORTION
4 PERS.

Milch auf den Herd setzen und den Vanillepudding nach Tütenanweisung kochen. Danach gut runterkühlen lassen, dauert ca. 3 bis 4 Stunden. Die Schlagsahne steif schlagen, in den gut verrührten Pudding geben und mit Schokoraspel und Rum unterziehen. Alles in Gläser füllen und kalt stellen. Mit Whiskey und löslichem Kaffee auch echt lecker!

Tipp: Man(n) sollte den Abend vorher schon einmal den Pudding kochen (aber am besten verstecken! Verlust droht!).

CREME

SÜSS MILD HOT EXTRA HOT
DATE WIFE KIDS BOSS
EINSTEIGER FORTGESCHRITTEN
EIWEISSARM EIWEISSREICH

200 ml Sahne
250 ml Milch
1 Packet Vanillepudding zum Kochen
2 Eier
2 Esslöffel Zucker
1 Esslöffel brauner Rohrzucker

BRULEE
einfach zuckersüß

274 KCAL/
PORTION
4 PERS.

Milch und Sahne auf dem Herd aufkochen, das angemischte Puddingpulver dazu geben und ca. 2 bis 3 Minuten durchkochen lassen. Vom Herd nehmen, ca. 3 bis 5 Minuten runterkühlen lassen, dann die verrührten Eier unter den Pudding ziehen. In kleine Mocca- oder Kaffeetassen füllen und erkalten lassen. Kurz vor dem Servieren den braunen Rohrzucker auf die Creme geben.
Einen Bunsenbrenner anwerfen und den Zucker schmelzen, dann direkt servieren, Lob einkassieren und von der Frau Dankbarkeit zeigen lassen.

SÜSS MILD HOT EXTRA HOT
DATE **WIFE** **KIDS** **BOSS**
EINSTEIGER FORTGESCHRITTEN
EIWEISSARM EIWEISSREICH

450 g Beerenmix Tiefkühl
(Himbeer, Erdbeer, Brombeer, etc.)
1 Tasse Wasser
3 Esslöffel Zucker
½ Paket Vanillepuddingpulver
2 Esslöffel Himbeersirup
2 Esslöffel Rum oder Johannisbeerlikör

OTE GRÜTZE

beeren in ihrer fast schönsten form

186 KCAL/
PORTION
4 PERS.

Himbeersirup mit dem Wasser und dem Zucker in einen großen Topf geben und zum Kochen bringen. Vanillepuddingpulver mit einem Esslöffel Wasser anrühren und den Saft abbinden. Den Schnaps dazugeben und die Tiefkühlbeeren dazu geben. Den Topf vom Herd nehmen. Wenn die Früchte aufgetaut sind, mit Vanilleeis oder Vanillesauce (Fertigprodukt) servieren.

Tipp: Zum Aufmotzen ein paar frische Himbeeren und Erdbeeren oben auflegen und mit Minzblättern dekorieren.

115

TIR

SÜSS MILD HOT EXTRA HOT
DATE WIFE KIDS BOSS
EINSTEIGER FORTGESCHRITTEN
EIWEISSARM EIWEISSREICH

2 Becher Mascarpone
250 g Schlagsahne
1 Esslöffel Zucker
½ Paket Löffelbiskuit
4 Esslöffel Kakaopulver
2 Tassen Espresso
2 Tassen Tia Maria (Kaffeelikör)
2 Tassen Weinbrand
1 Tasse Amaretto
(wie immer
Espressotassen-Größe)

AMISU

so wird man(n)
zum macho

585 KCAL/
PORTION
4 PERS.

Eine flache Form (ca. 30 bis 40 cm) mit Löffelbiskuit auslegen. Mit dem Gemisch aus Espresso, Kaffee-likör und Weinbrand die Löffelbiskuits tränken, sollten schon leicht dunkel sein.
Die Mascarpone mit der gesüßten Schlagsahne und dem Amaretto mischen und auf den Biskuits verteilen. Die Oberfläche mit einem Teigschaber glattstreichen. Kakaopulver in ein feines Sieb füllen (Achtung: Teller darunter stellen, es rieselt!) und die glatt verzogene, schön dicke Masse damit bestreuen, um sie für ca. 2 Stunden kalt zu stellen, mmmmmh, lecker!

Tipp: Dazu isst Man(n) Himbeer- oder Erdbeersauce.

BLÄT

SÜSS **MILD** HOT EXTRA HOT
DATE **WIFE** **KIDS** **BOSS**
EINSTEIGER FORTGESCHRITTEN
EIWEISSARM EIWEISSREICH

ca. 300 g Tiefühl-Blätterteig
Frischkäse
Räucherlachs
1 Ei
1 Esslöffel Paniermehl

...TERTEIG-PRALINEN

die perfekte vorspeise

470 KCAL/
PORTION
4 PERS.

Die Blätterteigplatten auftauen lassen, höchstens ein Viertel der Platte mit Frischkäse bestreichen. Dann etwas Paniermehl dünn darüber bröseln, Lachs darauf verteilen und aufrollen. Das Ende der Blätterteig-platte mit Ei bestreichen, ebenfalls aufrollen und in 1 cm breite Stücke schneiden. Zum Schluss auch von außen mit Ei bestreichen und bei 200° Grad im Backofen ca. 20 Minuten abbacken. Dazu selbst gemachte Dips servieren.

Tipp: Als Füllung geht auch sehr gut Hackfleisch, Käse oder Schinken und Pilze.

PFAN

SÜSS MILD HOT EXTRA HOT
DATE **WIFE** **KIDS** **BOSS**
EINSTEIGER FORTGESCHRITTEN
EIWEISSARM EIWEISSREICH

170 g Mehl
300 ml Milch
20 g Zucker
4 Eier
40 g flüssige Butter

INKUCHEN
gefüllt nach herzenslust

150 KCAL / STÜCK
16 STÜCK

Zuerst Mehl und Milch verrühren, Zucker und Eier dazugeben und zum Schluss die flüssige Butter hineingeben. In eine beschichtete Pfanne etwas Öl oder Butter geben und sehr dünne Pfannkuchen machen.

Diese kann man jetzt mit frischem Obst füllen. Oder als Variante mit einem Esslöffel Quark, einem Ei, Rum und Zucker im Crêpe und eine Backform legen. Sahne darauf gießen und im Backofen ca. 10 bis 15 Minuten bei 180° Grad überbacken.

121

der einfachste
kuchen der welt

SCH

SÜSS MILD HOT EXTRA HOT

DATE WIFE KIDS BOSS

EINSTEIGER FORTGESCHRITTEN

EIWEISSARM EIWEISSREICH

1 Ei
4 Esslöffel Zucker
1 Teelöffel Vanillezucker
2 bis 3 Esslöffel Öl
25 g flüssige Zartbitterkuvertüre
2 Esslöffel Whisky
1 Teelöffel Backpulver
1 Teelöffel Kakao
6 Esslöffel Mehl
5 Esslöffel gemahlene Nüsse
(Mandel, Haselnuss)

OKOKUCHEN

1.800 KCAL/

4 PERS.

Zuerst sollte Man(n) acht kleine Kaffeetassen mit Butter ausstreichen. Jetzt alle Zutaten verrühren. Den Teig in die Tassen füllen, jeweils zu ca ¾ auffüllen. Im vorgeheizten Backofen auf 250°Grad und ca. 12 Minuten backen. Danach 2 bis 3 Minuten kurz stehen lassen und auf Teller stürzen. Soll er durchgebacken werden, verlängert sich die Backzeit auf ca. 25 Minuten bei 180° Grad.

Tipp: Zum Kuchen gibt man Schokosauce oder Vanillesauce.
Eis und heiß ist auch echt lecker!

123

APP

SÜSS MILD HOT EXTRA HOT
DATE WIFE KIDS BOSS
EINSTEIGER FORTGESCHRITTEN
EIWEISSARM EIWEISSREICH

1 Packet frischer Blätterteig aus dem Kühlregal
4 bis 6 Äpfel, je nach Größe
2 Esslöffel Keksbrösel oder Paniermehl
¾ Paket Vanillepuddingpulver zum Kochen
250 ml Milch
2 Esslöffel Zucker
1 Esslöffel Zucker mit Prise Zimt + Vanillezucker gemischt
½ Glas Aprikosenkonfitüre

FELKUCHEN

4.600 KCAL/
KUCHEN

selbst gemacht schmeckt doch am besten

Zuerst für den Vanillepudding, der als Füllung für unseren Kuchen gilt, Milch mit 2 Esslöffel Zucker zum Kochen bringen. Das Pulver mit einem Esslöffel Milch anrühren und aufkochen lassen, dann beiseite stellen.
Eine Springform oder eine flache Kuchenform etwas ausbuttern, den Blätterteig hineinlegen, Überstehendes abschneiden und zum Flicken des Randes benutzen. Pudding darauf verteilen. Äpfel schälen, in Scheiben schneiden, auf den Pudding geben und mit dem Zimt-Zucker-Gemisch bestreuen. Im Backofen auf 160° Grad ca. 35 Minuten backen. Das halbe Glas Aprikosenkonfitüre bei schwacher Hitze im Topf flüssig werden lassen und auf den Kuchen geben. Den Kuchen abkühlen lassen und dann mit der Ex, der Jetzigen oder allen Frauen essen!

Tipp: Kann Man(n) auch mit Birne, Aprikosen oder Pfirsichen machen.

125

QUICHE

126

SÜSS **MILD** HOT EXTRA HOT
DATE **WIFE** **KIDS** **BOSS**
EINSTEIGER **FORTGESCHRITTEN**
EIWEISSARM EIWEISSREICH

1 Paket Blätterteig aus dem Kühlregal
300 g Zwiebelwürfel
300 g Speckwürfel
250 g Schmand
3 Eier
Salz, Pfeffer, Muskat

LORRAINE

der alles-verwerter

1.700 KCAL/
PORTION
1 KUCHEN

Blätterteig auf die flache Backform legen, überstehende Ränder abschneiden und unten in die Form legen. Zwiebelwürfel und Speckwürfel in der Pfanne 2 bis 3 Minuten anschwitzen. Aus dem Schmand und den Eiern mit Salz, Pfeffer und einer Prise Muskat einen Eierguss vorbereiten. Ein bis zwei Löffel auf den Teig verteilen. Speck und Zwiebeln darauf, den Rest Guss ebenfalls darauf und alles zusammen bei 180° Grad ca. 35 Minuten im Ofen backen. Dazu trinkt Man(n) Federweißer oder Bier, das geht ja immer!

Tipp: Man(n) kann auch statt Speck und Zwiebeln gekochtes Gemüse, Lachs und Schinken oder Tunfisch, Tomate etc. nehmen.

© 2012
3. Auflage 2013

Verlag Podszun GmbH
Elisabethstr. 23 - 25
D-59929 Brilon
ISBN-Nr. 978-861333-662-4

Rezepte: Andreas Piorek
Fotos: Sabrinity